Wydawnictwo Dwie Siostry
Warszawa 2010

CO Z CIEBIE WYROŚ-NIE?

GRAJ W ZAWODY NA
COZCIEBIEWYROSNIE.PL

napisali i narysowali
Aleksandra i Daniel Mizielińscy

zredagował i swoje dopisał
Maciej Byliniak

D1307101

Każdy człowiek ma jakąś mocną stronę: talent, umiejętność albo pasję, w której mało kto mu dorówna. Jedni są wrażliwi na dźwięki 42 lub smaki 34, inni mają sokoli wzrok 13, zręczne stopy 22 albo giętkie ciało 28. Ktoś potrafi stać w miejscu przez cały dzień 57, a ktoś inny może biegać bez chwili wytchnienia 24. Są ludzie, którzy świetnie dogadują się ze zwierzętami 52, i tacy, którzy umieją uszczęśliwiać drzewa 58. Jedni kochają wodę 36, inni wolą gry komputerowe 26 albo zwykłe wylegiwanie się na kanapie 21.

Jeśli odkryjemy, co jest naszą mocną stroną, możemy być pewni, że znajdzie się dla nas odpowiednie zajęcie. Jest ich przecież mnóstwo – równie dużo, jak ludzkich talentów. W tej książce zebraliśmy sześćdziesiąt dwa przykłady oryginalnych zajęć i zawodów z całego świata: nowych i starych, zabawnych i niesamowitych, w większości – rzadko spotykanych. Prawie wszystkie mogą być wykonywane zarówno przez chłopców, jak i przez dziewczynki. Może znajdziesz wśród nich coś dla siebie?

KIM MOŻNA ZOSTAĆ, MAJĄC NIETYPOWY TALENT? SPRAWDŹ!
POD KAŻDYM NUMERKIEM KRYJE SIĘ ZAJĘCIE LUB ZAWÓD.

degustatorów psiego jedzenia,

DEGUSTATOR DEGUSTUJE, CZYLI PRÓBUJE JEDZENIE I OCENIA JEGO SMAK.

którzy sprawdzają, czy nasz włochaty pupil zje wszystko z apetytem.

TY SPRÓBUJ PIERWSZY.

Piękna fryzura może być powodem do dumy. A jeśli ktoś o niej marzy, ale na jego głowie nic nie chce wyrosnąć? Powinien wybrać się do PERU

KARKI.

która zrobi dla niego wspaniałą czuprynę
z prawdziwych lub sztucznych włosów.
Czyli perukę.

Nawet pisarze i dziennikarze robią czasem byki, przestawiają litery i stawiają przecinki w złych miejscach. Dlatego każdą książkę i gazetę przed jej wydrukowaniem uważnie czyta

KOREKTOR,

który ma ortografię w małym palcu i potrafi sprawnie wyłapać wszystkie błędy.

Zanim kupimy albo sprzedamy jakąś bardzo kosztowną rzecz, powinniśmy wiedzieć, ile naprawdę jest warta. Wyliczy to dla nas

„TAXA"
(CZYTAJ: TAKSA)
TO PO ŁACINIE
„WYZNACZONA CENA".

taksator,

czyli specjalista od szacowania wartości przedmiotów. Potrafi wycenić prawie wszystko – od domów, firm i działek po maszty radiowe, wraki statków i kolekcje porcelanowych słoni.

1350, 197, 546.

Konie wyścigowe po ukończeniu biegu są bardzo rozgrzane. By nie nabawić się kontuzji ani chorób, powinny stygnąć stopniowo. Dlatego potrzebna jest

SCHŁA- DZACZKA KONI.

która po wyścigu spaceruje z wierzchowcami, dopóki nie ochłoną one na tyle, by mogły wrócić do stajni.

BABCIA

to pani, która pracuje w miejskiej szaletu i przyjmuje drobne

KLOZETOWA

toalecie. To ona dba o czystość
opłaty za korzystanie z ubikacji.

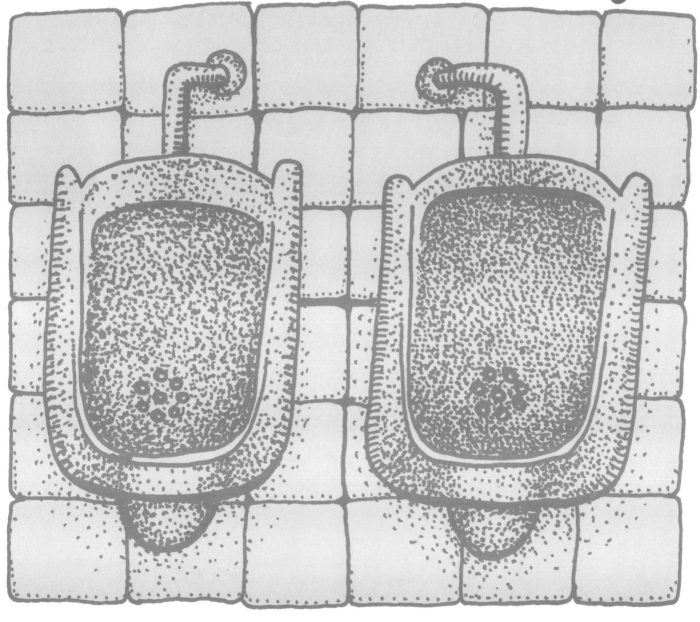

Wiele osób wierzy, że istnieją złe duchy, które mogą nawiedzać domy i dręczyć ludzi, a nawet w nich wstępować. Gdy ktoś podejrzewa, że ma do czynienia z taką siłą nieczystą, może poprosić o pomoc

EGZORCYSTĘ.

7

To wyznaczony przez Kościół kapłan, który zna odpowiednie modlitwy i potrafi odprawić rytuał przepędzenia złego ducha.

„EKSORKIDZEIN" (CZYTAJ: EKSORKIDZEJN) TO PO GRECKU „ZAKLINAĆ".

PRECZ, DEMO-NIE!

Gdy trzeba wysadzić stary budynek albo twardą skałę, która znalazła się na trasie nowego tunelu, do pracy przystępuje

8

STRZAŁOWY

To specjalista od materiałów wybuchowych, który potrafi stwierdzić, jaki ładunek jest potrzebny, umieścić go w odpowiednim miejscu i bezpiecznie zdetonować.

Niektórzy źle wychowani fani żucia wypluwają gumy na chodnik albo przyklepiają je gdzie popadnie. Taką kleistą masę bardzo trudno zmyć, dlatego niektóre miasta zatrudniają

USUWACZY GUM DO ŻUCIA,

TAPICE

„TAPISSERIE" (CZYTAJ: TAPISERI)
TO PO FRANCUSKU „OBICIE".

RZEMIEŚLNIKIEM NAZYWAMY
OSOBĘ, KTÓRA ZA POMOCĄ
PROSTYCH NARZĘDZI WYKONUJE
I NAPRAWIA PRZEDMIOTY UŻYTKOWE.

R to rzemieślnik, który zajmuje się obijaniem mebli i wnętrz pojazdów rozmaitymi tkaninami. Możemy się do niego zwrócić, jeśli znudzi nam się kolor kanapy albo zniszczy materiał na fotelu w samochodzie.

OWOCORZ

potrafi zamienić arbuza w bukiet róż, a melona w egzotyczną rybkę. Nie potrzebuje do tego czarodziejskiej różdżki – wystarczy jej zestaw nożyków. Wycina nimi w owocach i warzywach najrozmaitsze fantazyjne kształty. W ten sposób tworzy kunsztowne jadalne rzeźby, którymi dekoruje się stoły, potrawy i desery.

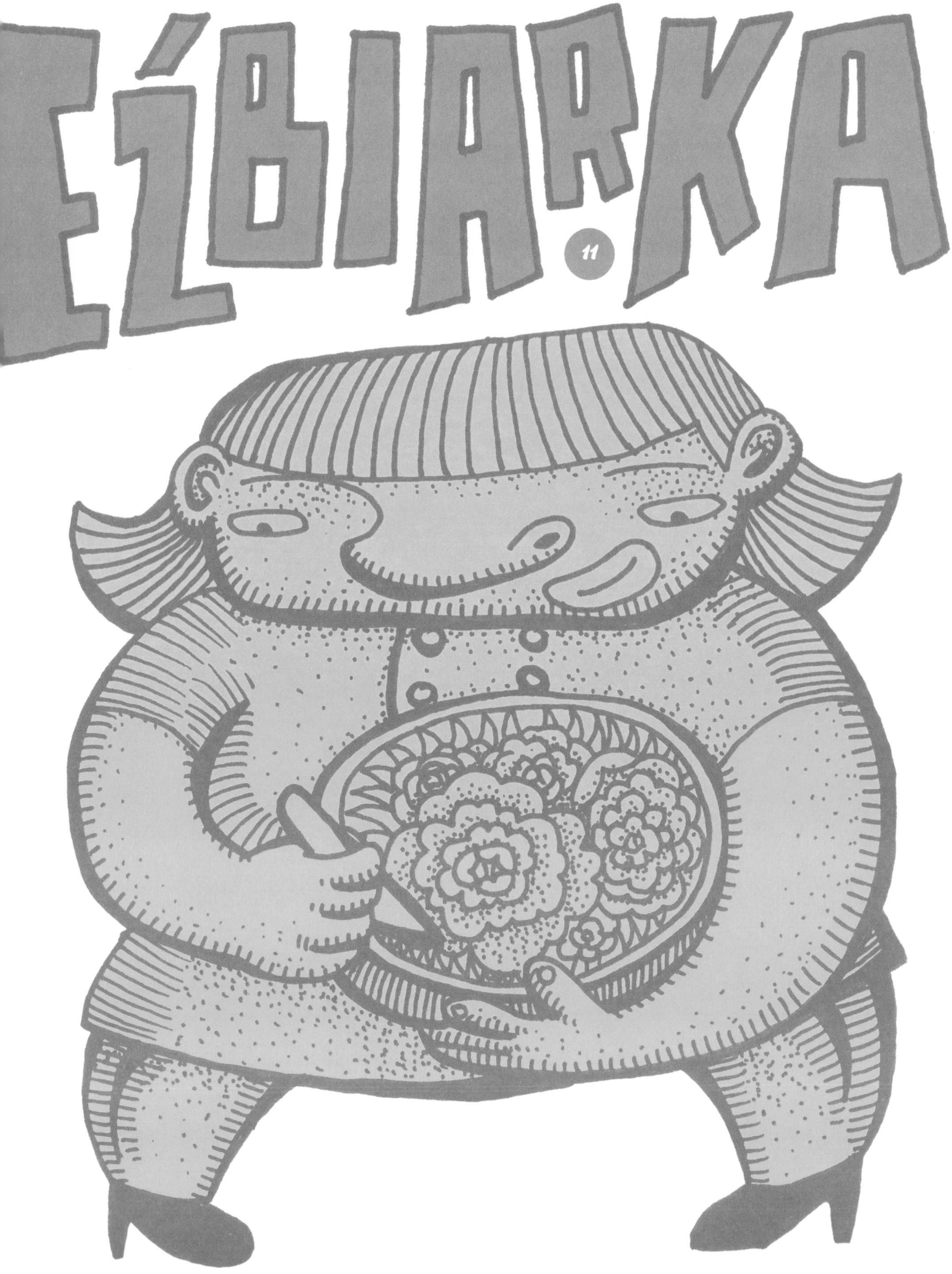
EŹBIARKA
11

WULKAN

wbrew pozorom nie naprawia wulkanów,
wszystkim zużyte i zniszczone
i wymienić stary, wytarty bieżnik na nowy.
czyli proces chemiczny, w wyniku

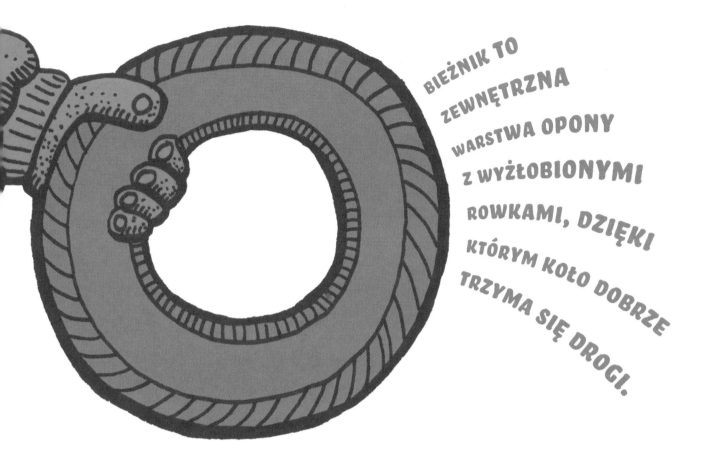

BIEŻNIK TO ZEWNĘTRZNA WARSTWA OPONY Z WYŻŁOBIONYMI ROWKAMI, DZIĘKI KTÓRYM KOŁO DOBRZE TRZYMA SIĘ DROGI.

...iZATOR

tylko wyroby gumowe, a przede opony. Potrafi załatać w nich dziury. Wykorzystuje do tego wulkanizację, którego powstaje guma.

Pożar lasu to nie przelewki. Jeśli nie zostanie szybko ugaszony, może pochłonąć wielkie połacie dzikiej przyrody. Dlatego tak ważna jest praca

OBSERWA-TORKI LASU, [13]

która całymi dniami czuwa na szczycie samotnej wieży wśród kniei. Wypatruje, czy spomiędzy drzew nie wydobywa się dym, a jeśli go zauważy, błyskawicznie powiadamia strażaków.

Podczas kręcenia filmu obraz nagrywa się kamerą, a dźwięk – osobnym mikrofonem. Dopiero później łączy się jedno z drugim. Aby to ułatwić, na planie filmowym pracuje **KLAPSERKA.**

14

Na początku każdego ujęcia ustawia klaps przed kamerą i głośno uderza jego górną częścią o dolną. To uderzenie wyraźnie

Jeśli ktoś podpisuje jakiś dokument, znaczy to, że zgadza się z jego treścią. Ale czasem nieuczciwi ludzie fałszują podpis jakiejś osoby i twierdzą, że zgodziła się na coś, czego wcale nie chciała. Jak wykryć takie oszustwo? Pomoże w tym

grafolog

czyli specjalista od badania pisma ręcznego. Drobiazgowo porówna podejrzany podpis z prawdziwym i stwierdzi, czy został sfałszowany.

Opowí

to artystka, której specjalnością

Zbiera baśnie i podania

własne opowieści, a później, w czasie swoich

adaczką.

...jest opowiadanie historii.
...z różnych stron świata i wymyśla
...występów, oczarowuje nimi słuchaczy.

WTEDY KRÓL POWIE-DZIAŁ...

W kurzych fermach młodziutkie koguciki są oddzielane od kurek już pierwszego dnia po wykluciu. To trudne zadanie, bo wszystkie pisklaki są do siebie bardzo podobne. Dlatego hodowcy kur zatrudniają

SEK-SER-KI, które zawodowo rozpoznają płeć kurcząt.

„SEX" (CZYTAJ: SEKS) TO PO ANGIELSKU „PŁEĆ".

Jak poradzić sobie z bałaganem?

książki, a gdzie zabawki? I jak je

wiadomo, gdzie co jest? Na te i podobne

ORGANIZA

która pomaga bałaganiarzom posegregować rzeczy

TRZEBA POSE-GREGO-WAĆ.

Gdzie trzymać ubrania, gdzie uporządkować, żeby zawsze było pytania najlepiej odpowie

ORKA SZAF,

i doradza, jak urządzić półki, szafy i szuflady, by w mieszkaniu łatwiej było utrzymać porządek.

Jeśli organizator balu chce mieć pewność, że goście nie będą się nudzić, wynajmuje

wadzireja,

który profesjonalnie poprowadzi imprezę. Stworzy rozrywkowy nastrój, ośmieli uczestników do tańca, zachęci ich do udziału w konkursach i zadba o to, by wszyscy dobrze się bawili.

Na dużych lotniskach codziennie ląduje i startuje po kilkaset samolotów. W powietrzu tworzą się korki jak na ruchliwej ulicy, a każda kolizja może skończyć się katastrofą. Na szczęście jest ktoś, kto nad tym wszystkim panuje. To

KONTROLER

...ZY LOTÓW,

którzy siedzą w specjalnej wieży,
śledzą samoloty na ekranach radarów
i kierują pracą pilotów przez
radio tak, by nie dopuścić
do żadnego wypadku.

Gdy producent mebli chce sprawdzić, czy jego wyroby są trwałe i wygodne, może skorzystać z usług TESTERÓW MEBLI.

UFFFF... TO DOPIERO CIĘŻKA PRACA.

To ludzie, którzy całymi dniami przesiadują na krzesłach, fotelach i stołkach albo wylegują się na łóżkach i kanapach. A potem mówią producentowi, co mógłby jeszcze ulepszyć.

Każdy, kto próbował żonglować, wie, że to trudna sztuka. Wymaga zręczności, koordynacji i żmudnych ćwiczeń. Są jednak artyści cyrkowi, dla których podrzucanie i łapanie przedmiotów rękami nie jest wystarczającym wyzwaniem, więc żonglują stopami. Takich ludzi nazywamy

antypo-dystami.

„ANTIPODES" ZNACZY PO GRECKU „Z NOGAMI ODWROTNIE".

JAK TO BYŁO?

Co by się stało, gdyby w trakcie przedstawienia aktor zapomniał tekstu? Nic, bo w teatrze pracuje ukryty przed widzami

sufler,

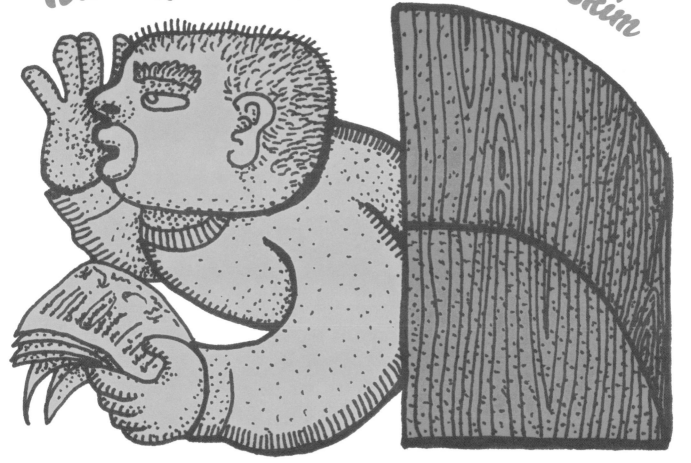

PO FRANCUSKU „SOUFFLER"
(CZYTAJ: SUFLE) ZNACZY „SZEPTAĆ".

który w każdej chwili jest gotów, by podpowiedzieć zapominalskim następną kwestię.

Pies powinien wychodzić na spacer przynajmniej trzy razy dziennie. A co, jeśli jego pan złamie nogę, a pani musi być przez cały dzień w pracy? Wtedy przydaje się

Kiedy oglądamy wystawę sztuki w muzeum albo w galerii, zwykle wiemy, kto **jest autorem** zebranych na niej obrazów, rzeźb czy filmów. Ale rzadko zastanawiamy się nad tym kto je **wyszukał**, wybrał i ułożył z nich **przemyślaną całość** – czyli kto jest twórcą całej wystawy. Taką osobę **nazywamy**

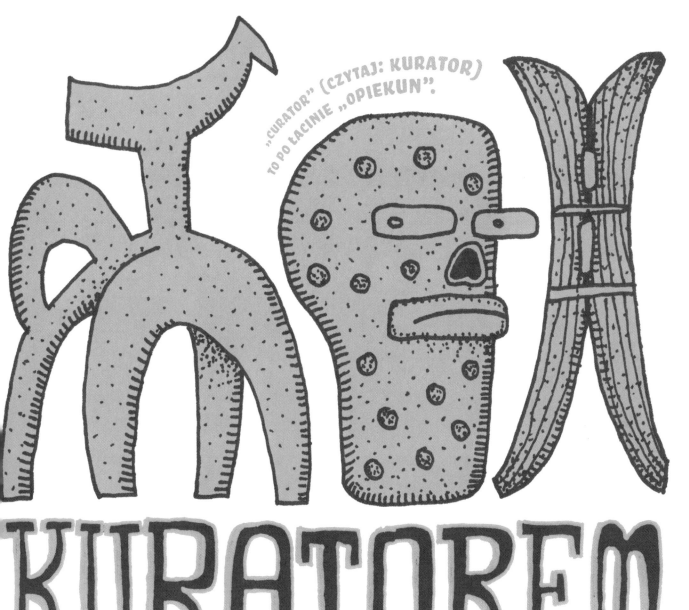

KURATOREM
SZTUKI.

25

Zanim nowa gra komputerowa trafi do sklepów, jest dokładnie sprawdzana przez

BETA TESTERÓW.

Grają w nią oni dniami i nocami, aby wyszukać każdy, nawet najdrobniejszy błąd, który programiści powinni jeszcze naprawić.

GDY NOWA GRA JUŻ DZIAŁA, ALE JESZCZE NIE ZOSTAŁA SKOŃCZONA I WCIĄŻ MOŻE ZAWIERAĆ USTERKI, MÓWI SIĘ O NIEJ, ŻE TO „WERSJA BETA". NIE TYLKO GRY MAJĄ WERSJE BETA I BETA TESTERÓW. INNE PROGRAMY TEŻ.

Gdy aktor gra w filmie, musi robić najróżniejsze rzeczy: czasem tańczyć tango, czasem jeździć konno, a czasem po prostu leżeć na łące. A co, jeśli nie umie tańczyć, boi się koni albo jest uczulony na pyłki traw? Albo jeśli się zwyczajnie rozchoruje? Wtedy zastępuje go

DUBLER,

czyli podobna do niego osoba, która potrafi to,
czego aktor nie umie albo nie może zrobić.

Dziewczynki, które lubią robić wygibasy, mają zadatki na kobietę gumę.

To artystka cyrkowa, która w czasie występów wygina i zawija swoje ciało w zadziwiający sposób. Potrafi dotknąć pupą czubka głowy albo postawić stopy na własnych ramionach.

NOS

albo perfumiarz to osoba, która komponuje zapachy, mieszając rozmaite pachnące substancje. To on tworzy perfumy i wszelkie inne pachnidła. Ma niezwykle czuły węch i potrafi rozpoznać ogromną liczbę zapachów. Po jednym niuchnięciu umiałby powiedzieć, jakim mydłem się myjesz. Jego największym wrogiem jest katar: wiadomo, zatkany nos niczego nie wyniucha.

Kanały to podziemne rury i korytarze, którymi płyną ścieki z całego miasta: kupy z sedesów, brudna woda ze zlewów i deszczówka ze studzienek. Lepiej nie myśleć, co by się stało, gdyby się zapchały. Dlatego potrzebni są

KANALARZE.

czyli ludzie, którzy stale kontrolują stan kanałów, oczyszczają je i sprawdzają, czy nie wymagają remontu.

rystki.

Potrafi ona dobrać kwiaty do każdej okazji i każdego wnętrza, oraz ułożyć je tak, by w pełni wykorzystać ich piękno.

„FLOS" TO PO ŁACINIE „KWIAT".

Ludzie od dawna zastanawiają się, czy we wszechświecie żyją inne inteligentne istoty. Jeśli tak, to niewykluczone, że nadają sygnały radiowe, które możemy odbierać. Ich poszukiwaniem zajmuje się

NASŁUCHIWACZKA KOSMOSU.

Całymi dniami przesiaduje przy komputerze i analizuje radiowy szum wyłapany przez ogromne anteny, wycelowane w kierunku odległych gwiazd i planet

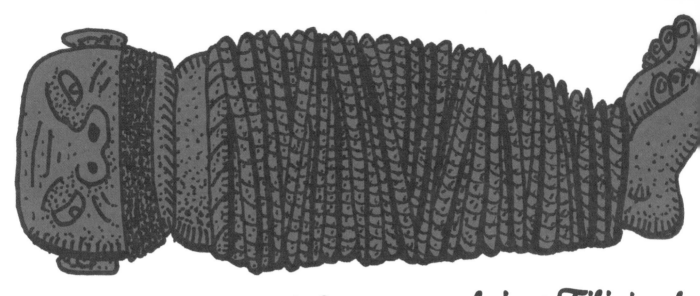

W Stanach Zjednoczonych i na Filipinach poszukiwani przestępcy boją się nie tylko policji. Po piętach depczą im tam także

ŁOWCY NAGRÓD,

33

czyli twardziele, którzy na własną rękę ścigają złoczyńców, by zgarnąć nagrodę wyznaczoną za ich schwytanie.

Niektóre napoje mają tyle gatunków i odmian, że trudno się w tym połapać i stwierdzić, które są dobre. Chyba że jest się **Kiperem.**

PO NIEMIECKU „KÜPER" (CZYTAJ: KIPER) ZNACZY „PIWNICZNY".

34

czyli osobą, która zawodowo ocenia smak, zapach i wygląd napojów. Najbardziej znani są kiperzy alkoholi, zwłaszcza wina, ale istnieją też kiperzy kawy i herbaty. Kiper musi mieć wyczulony smak i węch oraz ogromną wiedzę o napojach, które ocenia. W pracy wcale dużo nie pije. Gdy już poczuje smak napoju, zwykle go wypluwa.

Znikające monety, chustki wyciągane znikąd
i niesamowite przemiany drobnych przedmiotów
to tylko niektóre sztuczki

PREST

Nazywamy tak artystę, który
zadziwia publiczność iluzją
stworzoną wyłącznie za pomocą
sprawnych dłoni
i umiejętności
odwracania
uwagi.

DIGITATORA.

PRESTIDIGITATOR TO Z FRANCUSKIEGO „SZYBKI PALEC".

Golfiści nie zawsze trafiają do dołka.
Piłeczki utopione w stawach
i sadzawkach to cenna zdobycz dla

nurka golfowego,

który wyławia je i sprzedaje.
Na dobrym polu golfowym może
znaleźć nawet kilka
tysięcy piłek w ciągu
jednego dnia.

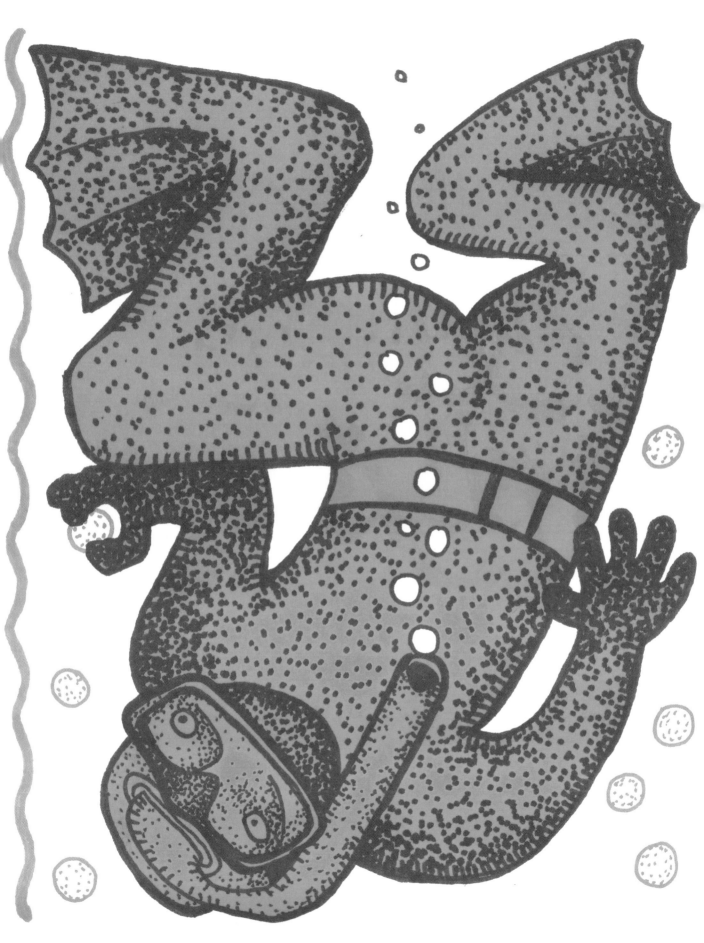

Gdy bandyci przetrzymują zakładników, grożąc, że ich skrzywdzą, do akcji wkracza

policyjna

negocjatorka.

To specjalnie przeszkolona policjantka, która potrafi zapanować nad emocjami i wie, jak prowadzić rozmowy, od których zależy ludzkie życie. Jej zadaniem jest przekonanie przestępców, by uwolnili przetrzymywane osoby i oddali się w ręce sprawiedliwości.

Co się dzieje z drobnymi, które wrzucamy do parkomatów i automatów z napojami? Wbrew pozorom wcale nie są teleportowane do skarbca chciwego bogacza. Ich wyjmowaniem i przewożeniem w miejsce wskazane przez właściciela maszyn zajmuje się

Wybieraczka monet. [38]

Jeśli reżyser chce, by jego film był widowiskowy, korzysta z usług **39** EFEKCIARZA.

To fachowiec od efektów specjalnych, czyli filmowych sztuczek, dzięki którym na ekranie wszystko jest możliwe. Za pomocą komputerów, makiet i różnych zmyślnych urządzeń wyczaruje, co tylko reżyser sobie wymarzy: niezliczone ilości wybuchów, smoki, tornada, duchy, a nawet bitwy kosmiczne.

W godzinach szczytu w metrze często panuje taki tłok, że nie wszystkim udaje się wsiąść do wagonów. W Japonii wymyślono na to sposób. Na stacjach pracują tam

UPYCHACZE LUDZI,

którzy kierują pasażerów do najmniej zatłoczonych części pociągu, a jeśli trzeba, delikatnie, ale stanowczo wciskają ich do zapchanego pojazdu.

40

Producenci jedzenia przetwarzają je na różne sposoby, by dłużej było świeże. Niestety w czasie tych zabiegów traci ono smak. Dlatego do żywności dodaje się często aromaty, czyli substancje, które nadają jej smak i zapach – identyczny z naturalnym albo zupełnie inny. Ich tworzeniem zajmują się specjaliści zwani

aroma

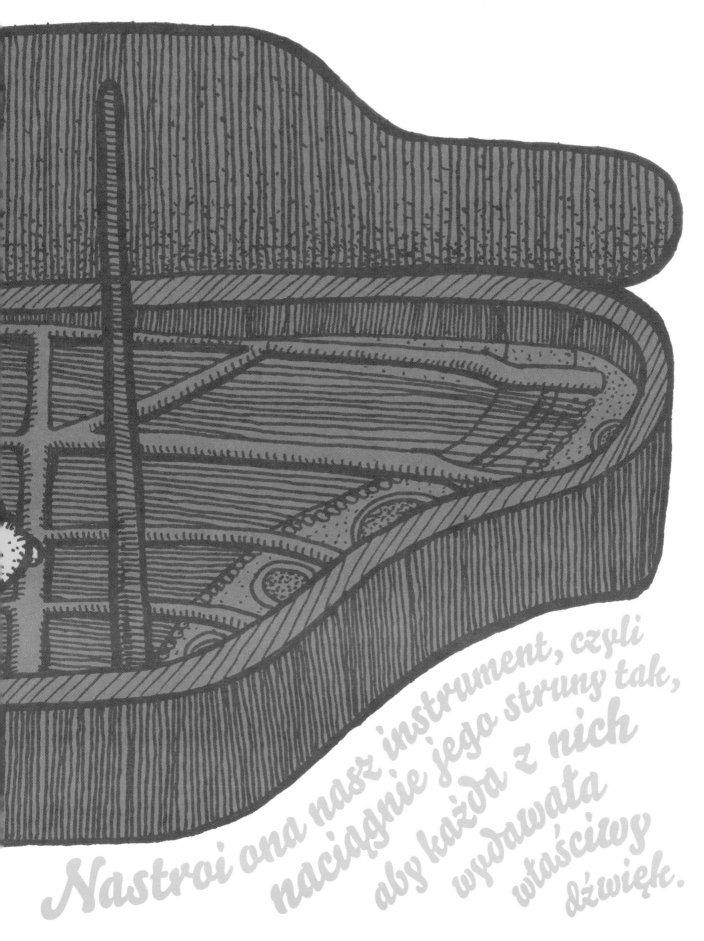

Nastroi ona nasz instrument, czyli naciągnie jego struny tak, aby każda z nich wydawała właściwy dźwięk.

Jeśli ktoś chce zostać autorem książki, może ją po prostu napisać albo... wynająć

PISARZA WIDMO.

Nazywamy tak osobę, która tworzy tekst po to, by ktoś inny mógł go wydać jako własne dzieło.

ALE JA JĄ NAPI-SAŁEM.

Czym **TAJEMNICZA** różni się od zwykłej klientki? Tym, że uważnie obserwuje i ocenia pracę w specjalnym raporcie. Właściciel sklepu pracownicy są

KLIENTKA

w czasie zakupów wypełnia tajną misję: sprzedawców, a później opisuje wszystko zatrudnia ją, gdy chce sprawdzić, czy jego uprzejmi dla klientów i dobrze ich obsługują.

Czy pies albo kot może skorzystać z usług salonu piękności? Tak! Obsłuży go tam

ZWIERZĘCY FRYZJER,

czyli fachowiec od pielęgnacji domowych czworonogów. Mycie, strzyżenie i czesanie szczekających i miauczących klientów to dla niego codzienność. Przycina im też pazury, czyści uszy i robi wszystko, by wyglądali schludnie i zdrowo.

Na brzegach mórz i oceanów od wieków buduje się latarnie morskie, które swoim światłem wskazują żeglarzom ląd. Tymi niezwykłymi budowlami opiekują się LATARNICY.

46

Dbają, by lampy były zawsze sprawne, zapalają je o zmroku i gaszą o świcie. Gdyby nie oni, statki mogłyby nie znaleźć drogi do domu.

Jeśli ukąsi nas jadowity wąż, jedynym ratunkiem będzie surowica, czyli lekarstwo zrobione z... jadu węża. Nie byłoby jej bez

WYCISKACZA WĘŻY

47

który pobiera jad od gadów hodowanych w laboratoriach. Jak? Łapie węża z tyłu głowy, wkłada jego zęby w cienką pokrywkę specjalnego naczynia i umiejętnie go uciska, zmuszając, by plunął jadem do środka.

Jedną z konkurencji rodeo jest ujeżdżanie byka. Zawodnik musi utrzymać się na grzbiecie szalejącej bestii, która w końcu i tak zrzuca go na ziemię. Wtedy do akcji wkracza

KLAUN Z RODEO.

48

Biega, krzyczy i robi wszystko, by odwrócić uwagę rozwścieczonego zwierzęcia od leżącego kowboja, który może dzięki temu bezpiecznie opuścić arenę. A pomiędzy konkurencjami klaun, jak to klaun, rozśmiesza publiczność zabawnymi skeczami.

RODEO TO ZAWODY SPORTOWE KOWBOJÓW.

Nowoczesne wieżowce często wyglądają tak, jakby były zbudowane z samych okien. A okna, jak wiadomo, trzeba czasem myć. Ale jak to zrobić, skoro nie da się ich otworzyć, a na dodatek są na trzydziestym piętrze? Trzeba zatrudnić

MIEJSKICH ALPINISTÓW,

czyli specjalistów od pracy na wysokości, którzy nie boją się wisieć na linie nawet sto metrów nad ziemią.

38°

Czy jutro spadnie grad?
A może będzie sucho i upalnie?
Dowiemy się tego od uroczej
pogodynki,
która z uśmiechem zapowiada
w telewizji pogodę na nadchodzące dni.
Nie znaczy to, że umie ją przewidzieć –
odczytuje tylko prognozy
przygotowane przez naukowców.

HODOWCA

52

produkuje świetny naturalny nawóz, dzięki
Jak to robi? Zbiera kupy swoich
Bo ten nawóz, zwany biohumusem,
odchody dżdżownic.

Bednarz

przycina drewniane klepki tak, by idealnie do siebie pasowały, a później spina je metalowymi obręczami, tworząc szczelne naczynie. W ten sposób wyrabia kadzie, balie, wiadra, a przede wszystkim beczki, doskonałe do przechowywania kiszonych ogórków i różnych rodzajów alkoholu.

Twój pies pognał za obcym samochodem i przepadł bez wieści? Twój kot nie wrócił z polowania w ogrodzie? To sprawa dla ZWIE-RZĘCEGO DETEKTYWA,

54

czyli specjalisty od odnajdywania zaginionych czworonogów. Korzystając z dedukcji i innych technik śledczych, a nieraz także z pomocy psa tropiącego, odszuka zabłąkanego pupila i zwróci go właścicielowi.

Jeśli aktor nie jest podobny do postaci, którą ma zagrać, trzeba zmienić jego wygląd. W teatrze i na planie filmowym zajmuje się tym

CHARAKTE-RYZATORKA.

GOTOWE.

Za pomocą specjalnych kosmetyków, peruk i doklejanego zarostu potrafi postarzyć człowieka o pięćdziesiąt lat, pokryć jego skórę bliznami albo zamienić go w zombie lub innego potwora.

URBA-NISTKA

to osoba, która zajmuje się planowaniem osiedli, a nawet całych miast. Rozmieszcza na mapie budynki mieszkalne, szkoły, sklepy, szpitale i ulice tak, aby jak najlepiej wykorzystać dostępną przestrzeń. W odróżnieniu od architektów nie projektuje pojedynczych budowli, tylko ustala ich wzajemne położenie.

W windach eleganckich wieżowców pracują **WINDZIARZE**, 57 którzy przez cały dzień jeżdżą z pasażerami w górę i w dół, wciskają guziki z numerami pięter i pilnują, aby dźwig nie był przeciążony.

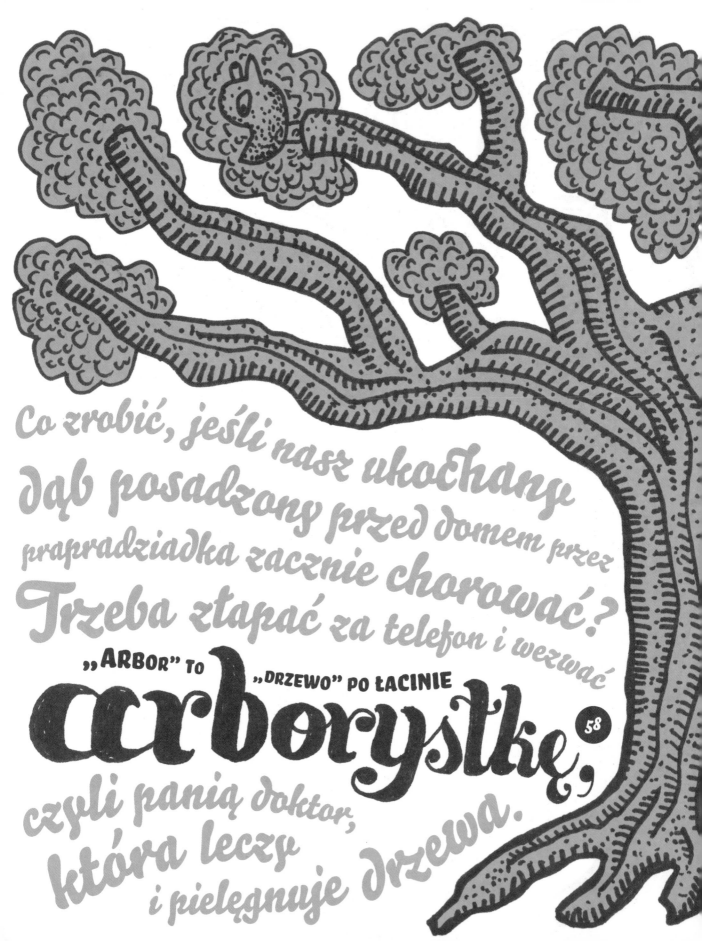

Co zrobić, jeśli nasz ukochany dąb posadzony przed domem przez prapradziadka zacznie chorować? Trzeba złapać za telefon i wezwać „ARBOR" TO „DRZEWO" PO ŁACINIE **arborystkę,**[58] czyli panią doktor, która leczy i pielęgnuje drzewa.

Niejeden klub sportowy ma maskotkę, czyli sympatyczną, wymyśloną postać, która jest jego symbolem i przynosi mu szczęście. W czasie meczów wciela się w nią

PRZEBIERANIEC.

To zatrudniona przez klub osoba, która spaceruje wokół boiska w wielkim, pluszowym stroju maskotki i zagrzewa kibiców swojej drużyny do głośnego dopingu.

Niektóre ważne rozmowy trzeba dokładnie i wiernie zapisywać. Ale jak z tym nadążyć, skoro mówi się szybciej, niż pisze? Jedyne wyjście to zatrudnić

STENOTYPIA TO Z GRECKIEGO DOSŁOWNIE „CIASNY DRUK".

STENOTY-PISTKĘ; [60]

która za pomocą specjalnej klawiatury i skomplikowanego, systemu skrótów potrafi zanotować nawet trzysta słów na minutę.

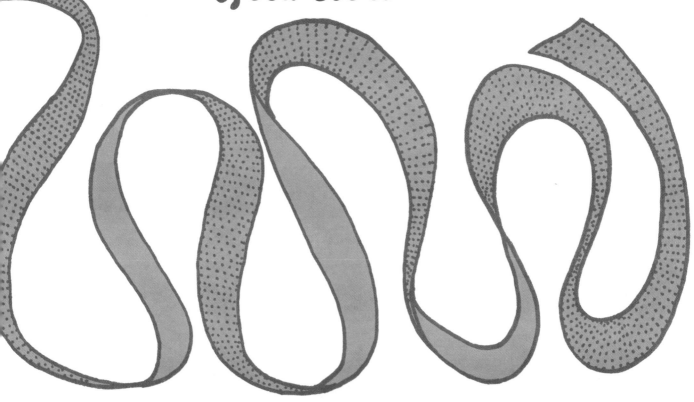

ZAGINACZ

rozgrzewa palnikiem szklane rurki i wygina je, tworząc z nich napisy i rysunki. Później wypełnia szkło neonem, czyli specjalnym gazem, który po podłączeniu prądu zaczyna świecić kolorowym światłem. Tak powstają lampy zwane neonami, wieszane na budynkach jako reklamy.

Gdy za oknem hula wiatr i leje deszcz, przyjemnie jest posiedzieć przy kominku, w którym wesoło trzaska ogień. Nie byłoby to możliwe, gdyby nie

ZDUN.

To rzemieślnik, który z cegieł, gliny, kafli, stalowego drutu i innych materiałów buduje wszelkiego rodzaju piece i kominki.

tekst:
Aleksandra i Daniel Mizielińscy,
Maciej Byliniak

opracowanie graficzne:
Aleksandra i Daniel Mizielińscy
hipopotamstudio.pl

redakcja:
Maciej Byliniak

druk:
OZGRAF SA

cozciebiewyrosnie.pl
wydawnictwodwiesiostry.pl